Bon Anniversaire,
mon petit ourson chéri!

Bon Anniversaire, mon petit ourson chéri!

Texte : Alain M. Bergeron

Illustrations : Fabrice Boulanger

ÉDITIONS
MICHEL
QUINTIN

Catalogage avant publication de Bibliothèque et Archives nationales du Québec et Bibliothèque et Archives Canada

Bergeron, Alain M.

Bon anniversaire, mon petit ourson chéri!

Pour enfants de 3 ans et plus.

ISBN 978-2-89435-371-4

I. Boulanger, Fabrice. II. Titre.

PS8553.E674B662 2008   jC843'.54   C2007-942475-9
PS9553.E674B662 2008

Révision linguistique : Sylvie Lallier, Éd. Michel Quintin
Infographie : Marie-Ève Boisvert, Éd. Michel Quintin

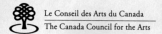   Patrimoine canadien   Canadian Heritage

La publication de cet ouvrage a été réalisée grâce au soutien financier du Conseil des Arts du Canada et de la SODEC.

De plus, les Éditions Michel Quintin bénéficient de l'aide financière du gouvernement du Canada par l'entremise du Programme d'aide au développement de l'industrie de l'édition (PADIÉ) pour leurs activités d'édition.

Gouvernement du Québec – Programme de crédit d'impôt pour l'édition de livres – Gestion SODEC

ISBN 978-2-89435-371-4

Dépôt légal - Bibliothèque et Archives nationales du Québec, 2008
Dépôt légal - Bibliothèque et Archives Canada, 2008

© Copyright 2008
Éditions Michel Quintin
C.P. 340, Waterloo (Québec)
Canada J0E 2N0
Tél. : 450 539-3774
Téléc. : 450 539-4905
www.editionsmichelquintin.ca

0 8 - W K T - 1

Imprimé en Chine

Aujourd'hui n'est pas un « aujourd'hui » comme les autres. « C'est une journée spéciale », m'a rappelé ma maman Ours chérie. « Je le sais, lui ai-je répondu, excitée. C'est mon anniversaire! »

Quand j'ai vu la photo où maman tient à deux mains son ventre énoooooo000rme, je lui ai demandé ce qu'elle avait mangé. Était-ce un gâteau au miel? Une lasagne aux fruits de mer? Un sandwich au beurre d'arachide et à la banane? Elle a rigolé et a affirmé que non, ce n'était rien de tout cela. Si son ventre était si gros, c'est que ma naissance approchait. « Une chance que je suis sortie à temps pour mon anniversaire! » me suis-je exclamée.

Ma maman et moi avons entendu un bruit sourd venant du salon. Je me suis précipitée dans la pièce. Mon papa Ours chéri était assis sur le plancher. Il se sentait étourdi après avoir soufflé un seul ballon! Maman lui a tendu un sac, l'air navré. « Il reste encore tout ça à gonfler. Tu devrais peut-être utiliser la pompe à air… » « C'est vrai, a dit mon papa. Quel étourdi je suis! »

Youpi! La fête pouvait commencer! Et quoi de mieux pour débuter qu'une chasse au trésor? Je devais découvrir où étaient cachés mes cadeaux. Mon papa Ours chéri voulait savoir combien de temps cela me prendrait. Il s'est mis à compter les secondes : « Un... deux... trois... »

« Sept... huit... neuf... » comptait toujours mon papa. Voilà, j'ai réussi! « Bravo! » m'a félicitée ma maman Ours. Mon papa Ours, lui, était bien étonné. Il lui avait fallu beaucoup plus de temps pour cacher les cadeaux...

Mon papa Ours chéri avait sûrement travaillé très fort pour emballer
mes cadeaux. Ça ne m'a pas empêchée de deviner tous mes présents :
un vélo, des vêtements pour ma poupée Zorba, un ballon, des livres…

J'ai déballé tous mes cadeaux. Je ne m'étais pas trompée! « Qu'est-ce qu'on dit, mon petit ourson chéri? » m'a demandé papa. « C'est tout? » me suis-je écriée. « Non! a-t-il répliqué. On dit merci. C'est tout! » Ah bon! J'ai donc répondu : « D'accord! Merci! C'est tout? Où sont les cadeaux offerts par mémé Ours et pépé Ours? »

Par la suite, nous avons joué à la pinata. C'est l'un de mes jeux préférés. Chaque fois que je m'élançais pour frapper, j'y allais de tout mon cœur. « Tu manques de précision », m'ont signalé mes parents. Ils ont convenu de retirer le bandeau de mes yeux.

Mais même sans bandeau, je n'étais pas très habile : j'ai frappé mon papa Ours chéri. Je me suis excusée les deux fois… Finalement, j'ai visé juste. Les bonbons se sont répandus partout! « Qu'est-ce qu'on dit? » s'est informé mon papa. Après avoir réfléchi, j'ai lancé : « Il n'y a pas de bonbons rouges? »

Puis, au jeu de l'âne, je pensais bien avoir atteint la cible du premier coup. Quand j'ai enlevé mon bandeau, j'ai découvert que ce n'était pas le cas. Désolée, mon papa Ours chéri…

C'était maintenant l'heure de manger le gâteau. Miam! Il semblait délicieux avec tous ces petits fruits des champs. Mais avant de me régaler, j'ai voulu savoir si le petit chaperon rouge avait été invité à l'anniversaire du grand méchant loup. « Oui, m'a assuré mon papa Ours chéri. Et il avait même préparé une surprise : il s'était caché dans le gâteau. Malheureusement, le loup a avalé le gâteau en une seule bouchée… »
Pauvre petit chaperon rouge!

J'ai grondé Zorba : il avait le visage dans le gâteau. Quelle idée! Mais après tout, elle n'était peut-être pas si mauvaise, cette idée...

Aujourd'hui n'est vraiment pas un « aujourd'hui » comme les autres. Je ne suis pas la seule à être née cette journée-là. « Bonne fête à toi aussi, mon papa Ours chéri! »